KU-557-567

Nella stessa collana:
Il mondo secondo Coco
Il mondo secondo Christian Dior
Il mondo secondo Karl

IL MONDO SECONDO

YVES SAINT LAURENT

A cura di
Patrick Mauriès
e Jean-Christophe Napias

Prefazione di
Patrick Mauriès

Design e illustrazioni di
Isabelle Chemin

Traduzione dal francese di
Silvia Cavenaghi

L'ippocampo

Prima pubblicazione: © 2023, Flammarion, Parigi
Titolo originale: *Le Monde selon Yves Saint Laurent*
Illustrazioni e concezione grafica: Isabelle Chemin
L'illustrazione di copertina e dorso è tratta da *Portrait of Yves Saint Laurent*, fotografia originale di Jeanloup Sieff, 1969

Traduzione dal francese di Silvia Cavenaghi

ISBN: 978-88-6722-836-2

www.ippocampoedizioni.it

Stampato e rilegato in Cina da C&C Offset Printing Co. Ltd

SOMMARIO

I TRE VOLTI DI YVES SAINT LAURENT

Come in un celebre dipinto del Tiziano, le pagine seguenti delineano il ritratto di un Yves Saint Laurent dai tre volti: il timido e risoluto *wunderkind* degli anni Dior, il sovrano creatore degli anni '70 e la tormentata creatura dal profilo smangiato dall'ombra degli ultimi decenni. Tre volti che, come nel quadro del Tiziano, offrono altrettante istantanee del passare del tempo e di ciò che esso modifica, cancella o accentua in quella che chiamiamo solitamente *identità*.

La prima caratteristica di Saint Laurent è la coscienza di appartenere alla razza degli « stilisti nati »: creature segnate fin dall'infanzia da certi fuggevoli dettagli impressi a fuoco nella loro memoria – la linea di uno smoking, il fruscio di un abito in raso, un paio di scarpe rosse – e destinate a nutrire una passione assoluta, per non dire cieca, nei confronti della moda. Non è un caso che tali « scene primarie » siano evocate da creativi tanto diversi tra loro quali Christian Lacroix, Jean-Paul Gaultier o Karl Lagerfeld, per citare solo qualche nome vicino, per un verso o per l'altro, a Saint Laurent.

Ma a distinguere quest'ultimo dai primi è la chiara appartenenza a quella che Proust definiva la « famiglia dei nervosi », caratterizzata da una sensibilità ipertrofica, da una fondamentale solitudine, dalla sensazione di non aver vissuto la propria gioventù e da un impossibile desiderio di riacciuffarla capace di portarlo a terribili eccessi. Un'estrema fragilità catalogabile sbrigativamente come sintomo di una debolezza caratteriale, ma che in realtà dimostra l'esatto contrario: paradossalmente, quella paralizzante vulnerabilità non è che l'altra faccia di una ferma fiducia in sé stesso, di una volontà di ferro, di una rara capacità di affermarsi e di un'incrollabile « fede e convinzione » in ciò che, fin da adolescente, Saint Laurent considerava il proprio destino. Una consapevolezza che gli consente di resistere alle violenze e alle vessazioni (« Nella mia mente mi rivolgevo ai miei compagni di classe dicendo: "Mi vendicherò di voi, voi non sarete niente e io sarò tutto" »).

Un'altra tensione (presente pure in Chanel o in Balenciaga) percorre il rapporto simbiotico tra Saint Laurent e la moda: quella che oppone la necessità del cambiamento e del gusto per la novità, veri motori del mestiere, alla maturazione di uno stile (o di un'immemoriale « eleganza ») che imponga a questo moto perpetuo alcune costanti sempre più perfezionate, e sfidi il tempo per definire lo spirito, se non l'opera, di uno stilista. In Saint Laurent, la creazione è sempre in bilico tra l'imperativo categorico dell'innovazione e il desiderio di approfondire, perfezionare, delineare il più possibile una formula definitiva. Si noterà il contrasto con il suo eterno *frenemy* Karl Lagerfeld, che per tutta la sua carriera si è sempre rifiutato di guardare a ciò che aveva proposto da una stagione all'altra e di cercare un proprio stile, preferendo prestarsi a diversi « impieghi » (in ogni senso del termine) e a variare i codici delle maison a cui era di volta in volta legato, giocando con molteplici alibi dietro ai quali cancellarsi.

Il parallelo, se non il contrappunto, tra i due creativi è prezioso anche perché ci permette di esporre, come in negativo, la visione di Saint Laurent. Tutto, nella moda, nel gusto, nello stile di vita, nel definire il desiderio, nella sua pratica contrappone i due protagonisti: forza centrifuga contro forza centripeta, ciclotimia contro rifiuto di cedervi, influenza del passato contro assillo del presente, nostalgia contro voglia di dimenticare, tentazione del pericolo contro ossessione della perdita di controllo. « Sartoria contro spettacolo », avrebbe aggiunto con una certa alterigia Saint Laurent.

Una sola frase, un solo credo pronunciato da quest'ultimo potrebbe accomunarli, visto che anche

Lagerfeld aveva spesso dichiarato di professarlo: « Sto bene solo a casa mia, con le mie matite e i miei fogli »; ma ciò che per l'uno non era che un motivo in più per ripiegarsi su sé stesso, per l'altro era il preludio alla socializzazione.

Questo senso di una fondamentale contraddizione tra l'essere centrato sul presente e rimanerne sostanzialmente estraneo traccia una sorta di basso continuo nella vita di Saint Laurent: un tratto che accomuna i tre volti evocati in apertura e che ha reso ancor più violenta la lotta contro il demone che Saint Laurent combatté per tutto il suo percorso, permettendogli di esaltare una femminilità sontuosa e nostalgica.

Patrick Mauriès

YSL
SECONDO
YSL
(1)

YSL SECONDO YSL (1)

A 14 anni, immaginavo di avere una casa di moda in place Vendôme, con gli appunti delle clienti e i nomi degli abiti scritti sui manichini di carta. Giocavo a fare il grande stilista.

★

Quando mia madre usciva, la seguivo con lo sguardo. Era di una bellezza straordinaria, con i capelli alla Rita Hayworth. Portava un tailleur di raso rosso. Due gambe meravigliose. Scarpe rosse. Mio padre indossava lo smoking. Questi ricordi non possono svanire.

★

La mia infanzia non vuole morire. Continua a vivere in me come un segreto.

★

La gioventù è una malattia dalla quale spesso si guarisce molto tardi. C'è chi non ci riuscirà mai, ne morirà anzi.

★

Ecco, sono un vecchio bambino.

La mia è stata
un'infanzia meravigliosa.
Sono stato un bambino
molto sensibile
e molto felice.

Lo sarei stato meno
andando avanti con gli anni.

L'amore
è il miglior
rimedio
contro
l'invecchiamento.

Spesso mi ribello. Mi sento frustrato.
Non ho mai avuto e mai avrò il tempo di essere giovane, e dunque spensierato.

★

Non sono vanesio rispetto alla mia età. Vedo la vita con gli occhi di un bambino, per questo non invecchio.

★

La giovinezza è egoista. Invecchiare significa iniziare a pensare agli altri.

★

Per me esiste una sola felicità sulla Terra: dimenticarsi di sé e dedicarsi agli altri. Quando si prova a far felici gli altri, si finisce per ricevere qualche scheggia di felicità.

★

La serenità è la gioventù dei vecchi, e certamente bella quanto quella vera. È un lusso alla portata di tutti, lo scopo di una vita e la sua consacrazione.
Il contrario di un privilegio.

Negli anni dell'adolescenza, si è radicata in me la volontà incrollabile di lanciarmi alla conquista di Parigi e di raggiungere i traguardi più alti. Nella mia mente, mi rivolgevo ai miei compagni di classe dicendo loro: « Mi vendicherò di voi, voi non sarete niente e io sarò tutto ».

Credo di non aver tradito l'adolescente che mostrò i suoi primi bozzetti a Christian Dior con una fiducia e una convinzione incrollabili. Quella fiducia e quella convinzione non mi hanno mai abbandonato.

A ventun anni, entrai in una sorta di fortezza della fama che divenne la trappola della mia vita.

Le persone
intorno
a me
hanno
capito
subito
che

ero diverso.

Sto bene
solo a casa mia,
col mio cane,
le mie matite
e i miei fogli.

Non si è mai soli quando si vive
in mezzo a ombre familiari.

★

La nostalgia è un sogno a occhi aperti.
Io sono un grande sognatore.

★

La solitudine è il mio motore,
ma anche una maledizione.

★

Adoro i miei amici, ma li vedo poco...
E poi, si sa, la celebrità rima con solitudine.

★

Lotto contro la solitudine, perché amo la vita.
Forse è la vita a non amarmi!

La vita? È un termometro che rileva la gioia
e la felicità quando è al massimo, la sofferenza
e l'angoscia quando è al minimo. Il cuore si sfianca
in questo oscillare costante.

★

Non dobbiamo chiedere troppo alla vita.
Solo così apprezzeremo quello che ci offre.
Siamo troppo esigenti verso di lei e non abbastanza
verso noi stessi, ecco la nostra debolezza.

★

Per l'uomo, l'unica morale possibile da un capo
all'altro dell'esistenza è l'arte, attraverso
la quale può sperare di avvicinarsi alla felicità.

★

Guardarsi vivere ci dà le vertigini,
ma grazie a quelle vertigini
raggiungiamo l'equilibrio.

★

La mia arma segreta è lo sguardo
che ho sulla mia epoca.

★

In fin dei conti, sono un uomo scandaloso.

IL MIO PIÙ

GRANDE DIFETTO?

Me stesso.

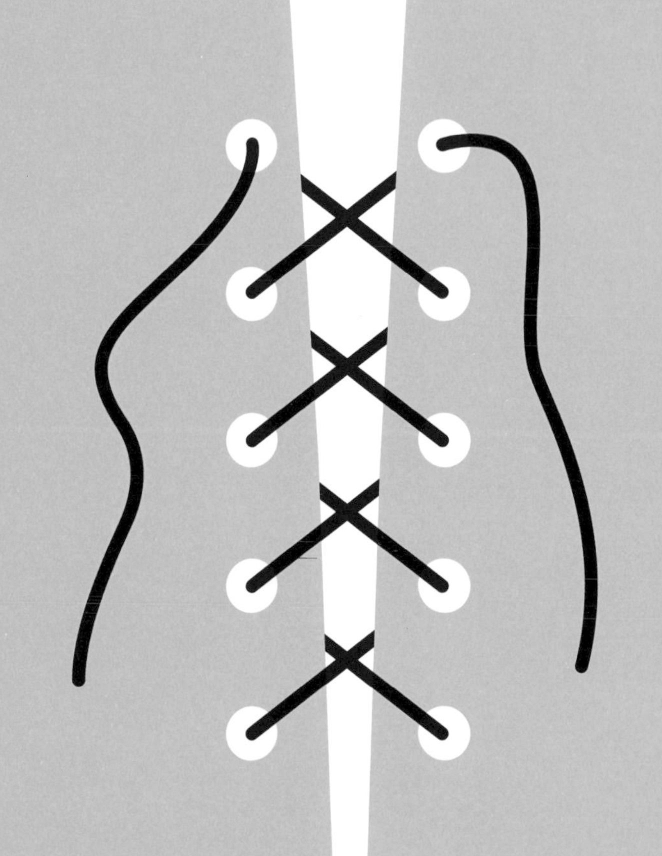

LA MODA SECONDO YSL

LE MODE
passano,
LO STILE
è eterno.
LA MODA
è futile,
LO STILE
non lo è affatto.

La vita moderna si è talmente evoluta, tutto è cambiato al punto che le donne non hanno più voglia di ritrovarsi trasformate da una nuova silhouette a ogni stagione, e nemmeno da un anno all'altro. Credo che la moda abbia raggiunto una certa stabilità.

★

Per me, la moda nasce da un cambio d'atteggiamento. Se guardo alle mode nelle varie epoche, a parer mio riflettono un cambio d'atteggiamento della donna. Perciò, nel mio piccolo, provo a trasformare quel suo atteggiamento.

★

Trovo crudele creare cose che non rivedrai mai più, perché son fatte per scomparire. La moda è ciò che passa di moda...

★

Da Chanel ho tuttavia acquisito la certezza che le cose fatte bene non passano mai di moda.

Adoro i vestiti, ma odio la moda.

★

La moda? Le si dà fin troppa importanza.
Roba da pazzi!

★

A volte mi chiedo cosa ci faccio in questo inferno.
È come uno spettacolo folle, con tanti orrori
e ben poca moda!

★

La moda è ormai una specie di baraccone.

★

Negli ultimi tempi, fare moda è diventato uno spettacolo. Ci sono palcoscenici, musicisti, scenografie, trucchi, tutto per stupire il pubblico, per impressionarlo. Non è più sartoria, è spettacolo. [...] E così lo spettacolo può essere perfetto, ma l'abito impossibile da indossare. Tutti gli anni vengono lanciati nomi come mongolfiere e, l'anno dopo, di quelle mongolfiere non c'è più traccia.

La
moda
è
un
male
incurabile.

La moda non cambia.
Ci provano a far
credere che sia così,
anche se certe mode
possono farsi arte
e divenire eterne.

Solo alcune, però.

In un certo senso, la moda è la vitamina di uno stile. Stimola e mette in moto, ma non se ne deve abusare. Può distruggere l'equilibrio di una personalità e colpire sia lo stilista sia le donne che indossano i suoi capi.

★

Se i vestiti sono fatti come si deve, perché cambiarli da una stagione all'altra?

★

C'è una moda che non cambia e poi c'è quella della strada, che tutti possono creare. Se domani hai un'idea, puoi farti stilista e avere successo, ma non riuscirai a realizzare un vero abito. Non è da tutti. Chiunque può fare moda, ma pochi possono creare un vero abito.

★

Le donne che seguono troppo la moda corrono un grosso rischio, quello di perdere la loro natura profonda, il loro stile, l'eleganza naturale che hanno.

I dittatori hanno fatto il loro tempo. La moda ha smesso di appartenere ai ricchi. Non bada più alle differenze di classe. La moda non può restare fuori dalla vita, deve ispirarsi a idee fresche ed eccitanti. La nostra missione è piacere alle donne, esaltarle, non soltanto vestirle. Gli stilisti devono cogliere lo spirito del tempo. [...] Devono liberare. Se ci interessiamo alla giovinezza è perché è diventata una potenza votata al culto di sé stessa. E noi giovani stilisti capeggiamo tale culto.

In Africa, in Asia e nei Paesi slavi, gli abiti non cambiano molto, e spesso le giovani si vestono come le anziane. Il che rafforza la mia teoria per cui si può portare la stessa cosa a qualunque età.

La rivoluzione,
quando arriverà,
partirà dai giovani. Si tratta
di un conflitto generazionale
irreversibile. […]
Nella moda è sempre così
[…]. Ogni venticinque anni
il corpo cambia, cambiano
i gesti. E un corpo nuovo
sta già emergendo.

LA MODA
È UNA FESTA.

Con la sua eterna giovinezza, la moda accompagna il tempo e attraverso il tempo si perpetua. È lo specchio che riflette l'anima di un'epoca. Si esalta e muore con lei per meglio rinascere e vibrare al ritmo di una nuova era.

★

Esistono due tipi di moda: una che resta, che non passerà mai, fatta di pantaloni, impermeabili, gonne, camicette e altri capi che verranno sempre più standardizzati e che fanno lo stile di un couturier e di un'epoca. E poi ce n'è un'altra molto più divertente che chiamano moda, quella vera, fatta di trovate, di dettagli che cambiano ogni stagione e ogni anno. La fantasia.

★

C'è bisogno di allegria, leggerezza, ironia, generosità, rivincite. C'è bisogno di far festa. La moda dev'essere anche una festa, deve aiutare le persone a giocare. A cambiare. A distrarsi. A compensare un po' il mondo grigio, duro e terribile nel quale sono condannate a vivere. Bisogna vestire anche i loro sogni, i loro svaghi, le loro follie.

IL PROCESSO CREATIVO SECONDO YSL

Quando prendo in mano la matita, non so ancora cosa disegnerò. Intendo dire che nulla è già previsto. È il miracolo dell'istante. Il tratto. Parto da un volto di donna e, all'improvviso, l'abito lo segue, decide come essere senza che io l'abbia prima pensato. È creazione allo stato puro, senza preparazione, senza visione.

★

Mi è capitato di fare una collezione in venti giorni. Venti giorni di pura creazione, di pura follia, e una sera, verso mezzanotte, tutto era pronto... A volte, invece, è una sofferenza totale, non esce niente, poi di colpo mi esplode nella testa, come se mi trovassi di fronte a una rinascita.

★

Ho imparato a diffidare dell'ispirazione come se fosse la peste e, a poco a poco, ho capito che la couture non è arte, ma artigianato, ovvero il suo punto di partenza e il suo scopo sono qualcosa di concreto: il corpo della donna.

Posso stare
una mattina intera
senza prendere
in mano la matita,
mentre a volte
mi capita di fare
quaranta disegni
a partire da
un'idea scaturita
in un lampo.

Dalla mia prima collezione, quella della linea a trapezio, l'angoscia non mi ha più abbandonato.

Creare moda con scadenze prefissate non mi diverte. Tutti questi abiti che muoiono in un anno e quelli da realizzare nel frattempo. È un ossario e una matrice. Mi sento sospeso tra la vita e la morte, tra il passato e il futuro.

★

Ogni volta si deve rimettere tutto in discussione. Senza mai sbagliare. Non ci si può permettere il lusso di avere ragione tre o quattro anni dopo. Bisogna sempre essere in presa diretta con il mondo. Allo stilista si chiede di sentire tutto quel che accade e quel che accadrà, e di tradurlo in una visione. I guai me li sono cercati.

★

Quando disegno, quando creo, provo qualcosa di tremendo. Una paura ingiustificata che mi invade. La mia sensibilità esasperata mi ha dato questo meraviglioso potere, che al tempo stesso mi consuma.

Non credo alla beatitudine degli stilisti.
Creare capi significa cercare di comunicare
a tutti i costi senza disporre di altri linguaggi.

★

Posso solo dire che non smetterò mai di creare.
È la mia sola ragione di vivere.

★

Non esiste creazione senza dolore. È una cosa
che dà felicità, ma il processo è molto doloroso.
La felicità giunge solo alla fine.

★

Avere il desiderio di creare qualcosa significa
tuffarsi di proposito negli abissi dell'angoscia.
Vero è che dopo arrivano momenti straordinari.
È la gioia della linfa che sgorga.

Il mio
lavoro
è la mia
spina
dorsale.

Quella tra
me e la strada
è una storia
d'amore.

Ritengo di aver ricevuto un dono dalla natura, quello di saper captare al momento giusto i desideri delle donne. Non ho bisogno di uscire, viaggiare o stordirmi per dare slancio alla mia ispirazione. Ho sempre pensato di possedere delle antenne e che mi basta aprire ogni mattina la finestra della stanza per captare l'aria di Parigi.

★

Per me, l'ispirazione è guardare ciò che accade nel mondo dal punto di vista artistico, letterario, politico, e intanto osservare le donne che passano per strada. È una fonte preziosissima per me, perché è la vita stessa, e la moda è il riflesso della vita quotidiana.

★

È importante che ci sia anche qualcosa di brutto per le strade.

Vivo dentro la mia testa, non nel mondo. Prima, tempo fa, uscivo molto, ballavo tutta la notte, avevo un'automobile veloce, stile Sagan, ma tutto questo è il passato. Ho amato quella febbre, ma non mi abita più. Ora, la mia anima è un tutt'uno con la mia arte. Vivo solo per lei, solo attraverso di lei, e gli avvenimenti mi ispirano meno della semplice bellezza.

★

Sono molto, molto solo. Con la fantasia erro in posti che non conosco. Detesto viaggiare. Se per esempio leggo un libro fotografico sull'India – o sull'Egitto, che non ho mai visitato –, l'immaginazione mi trascina. È lì che faccio i miei viaggi più belli.

★

Sono convinto che la mia immaginazione superi ogni limite, che mi trascini nei luoghi dove non mi serve di andare. I miei viaggi più belli sono quelli immobili.

In fin dei conti,
il viaggio più bello
è quello che fai
nella tua stanza.

Forse, ora che sono nei musei, sono davvero un artista...

Yves Saint Laurent

Ogni forma d'arte è limitata dal proprio mezzo espressivo; nel mio caso, il capo di abbigliamento.

★

L'arte, la creazione, è la manifestazione del divino nell'essere umano. La ricerca della purezza.

★

Ho sempre messo davanti a tutto il rispetto per questo mestiere, che non è un'arte in tutto e per tutto, ma che ha bisogno di un artista per esistere.

★

Far viaggiare l'immaginazione per me è prezioso. Partendo dalla Ragazza con l'orecchino di perla *di Vermeer, mi sono immaginato che abito potesse indossare. E penso sia uno dei più belli che ho creato.*

★

Come preparare la bellezza del futuro se si cancella per negligenza quella del passato?

YSL

IL MESTIERE DI STILISTA SECONDO YSL

In un mestiere dove ci si rimette sistematicamente in discussione due volte l'anno, non ci si può mai considerare arrivati. Prima di ogni collezione ho una paura tremenda e "ragionevole" tutto sommato. Da quando ho vent'anni, mi sento addosso una responsabilità che mi schiaccia: un mio fallimento e molte centinaia di persone finirebbero disoccupate.

Una collezione rappresenta un momento atroce. Ogni volta vivo un tormento, come se l'ispirazione si fosse per sempre esaurita. E poi, a un paio di settimane dal lancio, tutto si sblocca. A quel punto, arriva l'euforia.

Ho sempre partorito
nel dolore. Non un'idea o un bozzetto,
ma quando devo dar vita a un pezzo
di stoffa e non ho altro che forbici
e spilli e tutto sembra rimanere
piatto, morto, vuoto. Allora ho solo
voglia di strappare tutto e partire
per un'isola all'altro capo
del mondo, dove vivere nudo
e dimenticare per sempre
cosa vuol dire crêpe, velluto,
raso e il peggio del peggio:

Ecco come concepisco una collezione: uno spettacolo.

*Vorrei dire anche che, mentre ci si lavora,
una collezione appartiene a chi la crea, è sacra.
Ma quando la si affida ad altri, si prova una
violenta frustrazione, ci si sente spossеduti.
E ci si deprime. Poi passa. Infine arriva un momento
che amo molto: vedi le donne vestite, gli abiti animarsi,
provi la gioia di aver dato qualcosa. E la vita
riprende il suo corso.*

★

*Non si può minimamente immaginare quant'è
difficile realizzare degli abiti. Oggi, però, mi sento
padrone del mio lavoro. Ti capita all'improvviso:
possiedi qualcosa che è tuo e non se ne andrà più.
È una sensazione straordinaria.*

★

*Dopo una collezione, mi sento svuotato.
È uscita da me e non ne resta nulla. Mi è sfuggita
dalle mani per diventare qualcosa che si compra,
si usa, e che forse si getterà. Un libro, una tela,
un brano musicale, una scultura restano,
ma la moda… Che frustrazione sapere
che la tua opera perirà!*

Preferisco sempre scioccare piuttosto che annoiare ripetendomi all'infinito.

★

Per me è difficile spiegare una collezione, perché mi sembra di proporre sempre la stessa.

★

Più progredisco nel mio lavoro, più acquisisco ciò che ho sempre sognato: quel "flou", quella dolcezza che agli inizi non avevo affatto.

★

Montare una manica, cucire una gonna, è da queste cose a prima vista semplicissime, ma in realtà molto difficili, che si riconosce un vero stilista…

★

Il trompe-l'œil è una grossa parte del mestiere: io vi ho ricorso all'infinito.

★

Parlare di rivoluzione nella moda è desueto. La vera rivoluzione sta altrove. È la rivoluzione della mente a dettare quella della moda.

Per me, l’avanguardia è il classicismo.

Le immagini tradizionali ci rendono persone futili, mentre il nostro mestiere è profondo e serio.

★

Tutti i miei abiti vengono da un gesto. Un abito che non riflette o non fa pensare a un gesto non va bene. Una volta trovato il gesto in questione, si può scegliere il colore, la forma, le stoffe. Non prima. In realtà, questo mestiere non smetti mai di impararlo.

★

La moda dev'essere divertente, moderna e piena di fantasia. Lo stilista, però, deve conoscere, oltre alla couture, l'arte e la storia.

★

Per me uno stilista che non è anche sarto, a cui non sono stati svelati i misteri più sottili della creazione dei modelli nel senso fisico del termine, è come quello scultore che affida a un artigiano il suo progetto. Non avere la completa padronanza di una creazione è come un atto d'amore interrotto e lo stile ne porterà le stimmate, impoverendosi.

Per me, nella moda,
la cosa più bella
è riuscire a realizzare
un capo che corrisponda
con precisione alla semplicità
e all'eleganza di una gonna
e un maglione neri, che sono
un niente, ma in realtà tutto.

Ecco il nostro mestiere:

RIGORE,
UMILTÀ,
SERIETÀ,
ETERNITÀ.

**Sono un artigiano,
non sono
uno stilista.**

**Un artefice
di felicità.**

Ringrazio il cielo di essere diventato
il couturier che sono.

★

È un lavoro che fa stare molto male,
ma che ti porta anche tanta gioia.

★

Ho l'impressione che più soffro,
più ho bisogno di fare cose allegre.

★

Ho vissuto per il mio lavoro
e grazie al mio lavoro.

LO STILE SECONDO YSL

s.m. [lat. *stĭlus*]

Per definire
esattamente
uno stile, cioè
quello che vedo,
quello che mi
interessa, mi tocca
farlo dalla testa
ai piedi.

Ai miei occhi, quel che conta per uno stilista
è avere uno stile personale riconoscibile.

★

Seguo lo stesso procedimento di un pittore,
di uno scultore, di un architetto, di un musicista.
Per uno stilista, creare è inventare una moda,
uscire dagli schemi, come hanno fatto Chanel,
Balenciaga o Dior; in poche parole, trovare
e imporre uno stile.

★

Non basta trovare uno stile, lo si deve affermare,
affinare, rinnovare. Oggi, per esempio, posso fare
un blazer quattro volte all'anno e, migliorandolo,
renderlo ogni volta diverso. È perfezionando i capi
essenziali che ho creato il mio stile, che sono quello
che sono, ed è per questo che vado oltre la moda.
Sempre per questo motivo, le donne possono
indossare gli abiti che ho fatto tempo fa
senza sentirsi fuori moda.

★

L'eleganza spetta a chi cerca il proprio stile,
nella vita come nella moda.

Per me, classico vuol dire eterno, cioè senza epoca.

★

Sono un classicista e amo la disciplina.

★

Più un capo è semplice, più è perfetto.

★

La "novità" non mi interessa affatto.
Spesso mi viene rimproverato di ripetermi,
ma è un malinteso: in realtà, io innovo
ogni anno pur conservando la stessa linea.

★

Per me, nulla va contro lo stile più
delle rivoluzioni nel modo di vestirsi.

★

Solo lo stile permette di andare oltre la moda.

NON CERCO DI RIVOLUZIONARE LA MODA,
BENSÌ DI RENDERE SEMPRE PIÙ PURA
LA SILHOUETTE IDEALE.

Mi sembra di fare
sempre la stessa cosa
sempre la stessa cosa
sempre la stessa cosa
sempre la stessa cosa
sempre la stessa cosa
sempre la stessa cosa

ma in realtà
non è affatto così.

La cosa più importante della mia moda? Lo stile.
Io non cambio, approfondisco. I tagli cambiano.
Le mode passano, lo stile resta.

★

Il mio stile l'ho preso dal guardaroba maschile.
Per questo è androgino. Gli uomini hanno molta
più fiducia in sé stessi con indosso i loro capi,
mentre le donne non ne avevano altrettanta.
Così ho cercato di offrire loro questa fiducia,
e una linea forte.

★

Come un artista trova un suo stile, lo stesso
deve fare una donna. E quando l'avrà capito
possiederà un suo potere di seduzione
affrancato dalla moda del momento.

★

Lo stile è una linea. Un tratto. Le mode
sono passeggere, mentre lo stile resta.

★

Il mio problema è raggiungere la più totale purezza.

YVES SAINT LAURENT

haute couture

LA HAUTE COUTURE SECONDO YSL

AMO

CIÒ CHE È
SOFISTICATO.

DETESTO

CIÒ CHE È
TROPPO RICCO.

Per me, la haute couture non è un laboratorio, come si è detto spesso, bensì un esercizio di stile nel quale si raggiunge una perfezione inaccessibile nell'industria dell'abbigliamento.

★

La haute couture è un'amante di cui non posso fare a meno, e poi mi sento responsabile di chi ha contribuito al mio successo e a quello della mia maison.

★

È necessaria, perché è un lavoro artigianale e, in un'epoca standardizzata che tende a industrializzare tutto, è importante preservare l'artigianato. Anche perché è un mestiere fatto di lusso, originalità, contro l'uniformità. Dentro a ciascuno di noi c'è il bisogno di differenziarsi.

★

In questo mestiere, la haute couture rappresenta il più alto grado della perfezione. Se si ama la moda, è per forza di cose nella haute couture che si raggiungerà il massimo della perfezione. Per questo la considero una cosa importantissima, che non intendo abbandonare.

La haute couture è lusso e raffinatezza.
Il prêt-à-porter è la vita. Ha portato
molta giovinezza nelle mie collezioni.
La haute couture dona invece eleganza.

★

Finché sarà possibile, realizzerò capi comodi
per il prêt-à-porter e da sogno per la haute couture.

★

La haute couture non ha più il potere di influenzare.
Oggi ci riesce solo ciò che può essere acquistato
subito e da chiunque.

★

Penso che il futuro sia il prêt-à-porter,
poiché il futuro è pieno di speranza,
pieno di novità.

Ho scelto di mostrare
l'immagine della mia moda
attraverso il prêt-à-porter
piuttosto che attraverso
la haute couture [...].
Penso che il prêt-à-porter
sia l'espressione della
moda di oggi. A mio parere,
è lì l'essenza, non nella
haute couture.

Nel 1966 ho aperto la prima boutique di prêt-à-porter al mondo con il marchio di un grande stilista e ho creato capi senza riferimenti alla haute couture, quindi sento di aver fatto progredire la moda del mio tempo e di aver permesso alle donne di entrare in un universo fin là inaccessibile.

In realtà vorrei essere una catena come Prisunic e fare abiti molto meno costosi, che tutti possano portare oltre che comprare.

Sono ormai da tempo convinto che la moda non sia fatta solo per rendere le donne più belle, ma anche per rassicurarle, dare loro fiducia, permettere loro di accettarsi. Ho sempre avversato le fantasticherie di quanti soddisfano il proprio ego attraverso la moda e mi sono invece messo al servizio delle donne, per servirle. Servire il loro corpo, i loro gesti, le loro attitudini, la loro vita. Ho voluto accompagnarle nel grande movimento di liberazione avvenuto nel secolo scorso.

PER QUESTO
HO APERTO

UNA BOUTIQUE,

PER NON ESSERE PIÙ
SOLO UN GRANDE STILISTA.

rive gauche

Sono convinto che siamo alla vigilia
di uno sconvolgimento nello stile di vita,
importante quanto quello proposto
dall'Esposizione internazionale delle Arti
decorative e industriali moderne [del 1925].

Prima di poter cambiare modo di vestire, la gente deve cambiare vita, mentalità e modo di essere.

★

Credo che, dopo aver desiderato per un attimo mescolarsi alla massa, rifugiarsi nell'anonimato di una divisa, oggi le persone vogliano distinguersi, mettersi in scena da protagoniste. Ed esibire il proprio "genere". I ragazzi hanno voglia di lasciarsi crescere la barba e le ragazze di esprimere la loro intima femminilità.

★

Ho un vago presentimento sui criteri di una moda nuova, su quello che vorrei fare e che non posso fare, perché dovrei fermare tutto e ricominciare altrove. Ho una premonizione: una specie di immenso portale d'accesso sul prêt-à-porter che rappresenterà la moda del futuro e che potrebbe renderla qualcosa di sorprendente, di diverso, di gigantesco.

La haute couture è la materia, ed è anche un sussurro che si trasmette e si ripete, ci sussurriamo i nostri segreti: le raffinatezze e la conoscenza del taglio. È lì che la haute couture può diventare una forma d'arte; sono queste raffinatezze ad aver dato gloria e prestigio alla Francia. Qualunque cosa faccia altrove, uno stilista deve *ricevere la consacrazione di Parigi. Altrimenti, è destinato a tramontare.*

★

La haute couture è controllare allo spasimo ogni dettaglio. Pensare a ciò che andrà o non andrà bene alle donne, questo è il prêt-à-porter.

★

Quando la haute couture morirà, finiranno gli ultimi grandi esempi di artigianato.

★

Sono l'ultimo grande stilista, la haute couture terminerà con me.

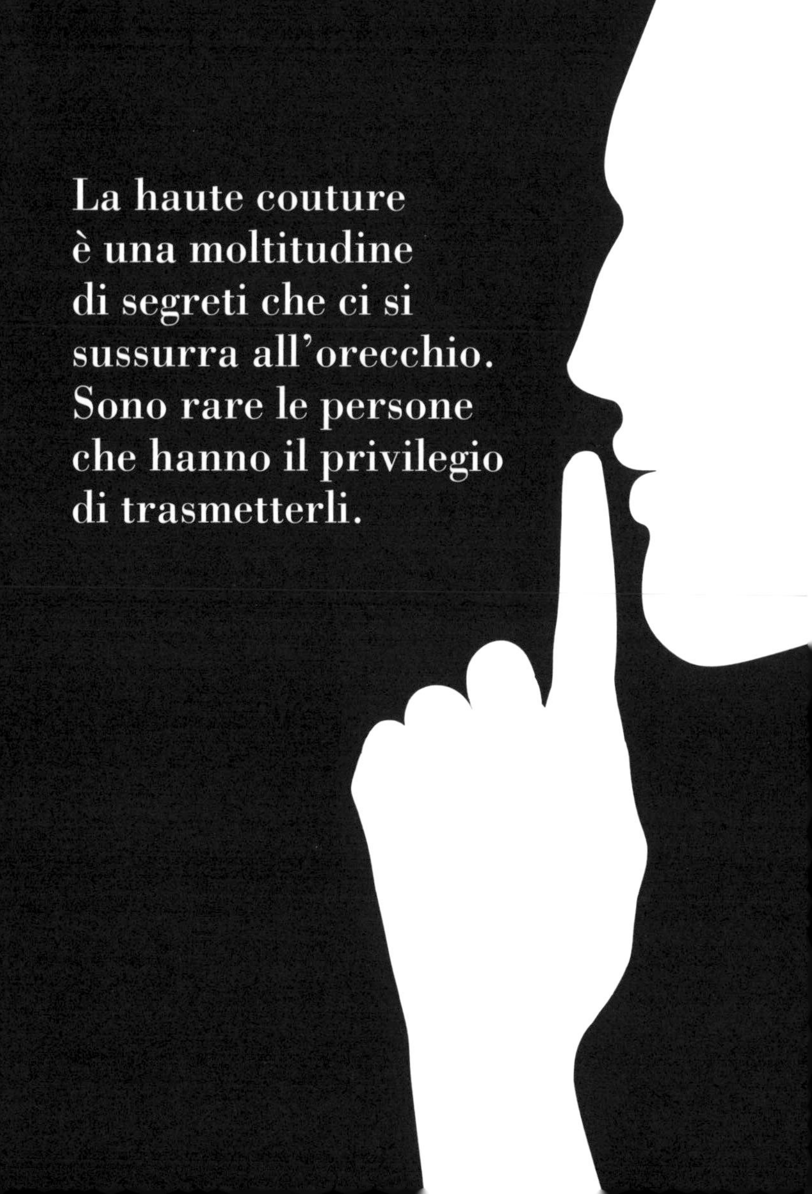
La haute couture
è una moltitudine
di segreti che ci si
sussurra all'orecchio.
Sono rare le persone
che hanno il privilegio
di trasmetterli.

L'ELEGANZA SECONDO YSL

Appartengo a una generazione e a un mondo votati all'eleganza, sono cresciuto in un ambiente molto legato alle tradizioni. Allo stesso tempo, ho voluto trasformare tutto questo perché ero combattuto tra l'attrazione del passato e il futuro che mi spingeva in avanti. Mi sento scisso e penso che lo sarò sempre. Perché conosco uno di questi mondi e percepisco la presenza dell'altro.

★

Oggi, una donna ben vestita è colei che sa costruire una certa sintonia tra i capi che indossa e la sua personalità. La donna più elegante che conosco? Coco Chanel.

★

Eleganza è dimenticare ciò che si sta indossando. Esistono mille definizioni, mille declinazioni possibili. Conta soprattutto la personalità. L'eleganza del gesto, l'eleganza del cuore, non tanto indossare capi molto costosi. Se fosse solo questo, sarebbe spaventoso.

★

L'eleganza è un modo di muoversi. Significa anche sapersi adattare alle circostanze della vita. Senza eleganza interiore, l'eleganza non esiste.

L'eleganza?

Ho una sfilza di definizioni.
Per farla breve,
direi che
è prima di tutto

uno stile di vita,

un modo di evolversi
sul piano fisico
e morale.

Credo che
la parola

elegante

sia stata rimpiazzata
dalla parola

seducente.

Al giorno d'oggi
c'è più voglia di essere

seducenti

che

eleganti.

L'eleganza si è trasformata, l'ha rimpiazzata la seduzione.

★

La parola eleganza *non mi piace. Trovo che sia fuori moda quanto il termine* haute couture.

★

Io non sono cambiato. È cambiato il mondo. Non finirà mai di cambiare e noi siamo condannati ad adeguare i nostri modi di vedere, sentire, giudicare. Le certezze, la tranquillità, la coscienza pulita non esistono più. Lo stesso vale per l'eleganza. A che titolo una banda di vecchi si arroga il diritto di decretare, in nome dell'eleganza, che una cosa va bene e un'altra no?

La seduzione: amarsi un po' per piacere molto.
Il maquillage più bello per una donna è la passione.

★

L'imbroglio fa parte della seduzione. Una donna diventa più emozionante, e quindi più seducente, quando entra in gioco l'artificio.

★

Un abito raggiunge il suo scopo quando diviene, per così dire, invisibile... quando si vede soltanto chi lo indossa.

★

Penso che le principali armi della seduzione per una donna siano il fascino e il mistero.

Ciò che
conta
è la seduzione,

LO SHOCK.

Ciò che si prova, che
si intuisce. È qualcosa
di puramente soggettivo.
Per quanto mi riguarda,
sono più sensibile ai gesti
che allo sguardo, alla
silhouette o a qualsiasi
altra cosa.

QUANDO CI SI SENTE BENE IN UN VESTITO,
PUÒ SUCCEDERE DI TUTTO.
UN BEL VESTITO È UN

PASSAPORTO

PER LA
FELICITÀ.

Una donna che non ha trovato il proprio stile, che non si sente a suo agio nei capi che indossa, che non vive in sintonia con loro, è una donna malata. Non è felice né sicura di sé, e non presenta alcun elemento che porta la felicità. Si parla spesso del silenzio della salute, del meraviglioso silenzio della salute. Si potrebbe parlare anche del silenzio dell'indumento, del meraviglioso silenzio dell'indumento, quando il corpo e gli abiti diventano una cosa sola, e ci si dimentica completamente di ciò che si indossa. Quando il capo non ci parla, non attira l'attenzione, e ci si sente a proprio agio vestiti come se si fosse nudi. Questa sintonia tra corpo e indumento non può esistere senza una sintonia tra mente e corpo, tra indumento e mente. L'eleganza non consiste forse nel dimenticare quello che si indossa?

★

Trovare il proprio stile non è cosa facile. Tuttavia non conosco felicità più grande di quella che si prova una volta che lo si è trovato. È una certezza per la vita.

LA DONNA
SECONDO
YSL

Ho sempre trovato il mio stile attraverso le donne. La sua vitalità e la sua forza derivano dal fatto che mi baso su un corpo di donna, sul suo modo di muoversi.

★

Ritengo di aver fatto il massimo per l'emancipazione delle donne.

★

Ho ideato una base che da vent'anni è presente nelle mie collezioni: il blazer, il caban, le maglie a righe, gli impermeabili, il tailleur pantalone, la camicetta, la sahariana – e lo smoking, che permette alle donne di avere accesso, in ogni momento, alla stessa comodità degli uomini.

★

Il mio sogno è fornire alle donne le basi per un guardaroba classico che, sfuggendo alla moda del momento, permetta loro di avere più fiducia in sé stesse. Attraverso i miei capi, spero di renderle più felici.

Ho inventato
la donna moderna.
Le ho inventato
un passato,
le ho regalato
un futuro.

Non disegno mai cose astratte, ma soltanto capi che vivono su una donna. Quello che conta, quello che mi piace, è il corpo… il corpo di una donna.

Trattare le donne come se non lo fossero mi fa orrore. Come se lo stilista fosse più importante degli abiti: è una totale mancanza di rispetto.

Adoro tutti quei tessuti che svelano il corpo femminile, che si muovono sul corpo. Mi piace che ci si veda attraverso, che si intraveda il corpo della donna. Perché la cosa più importante nella couture, nella moda, è il corpo che vestiamo, la donna che vestiamo, non tanto le idee che possiamo avere.

Il capo più bello che possa vestire una donna sono le braccia dell'uomo che ama. E per quelle che non hanno avuto la fortuna di trovare questa felicità, ci sono io.

Un abito non è "architettura", ma una casa: non è fatto per essere contemplato, quanto per essere abitato, e la donna che lo abita deve sentirsi bella e starci bene dentro. Tutto il resto sono solo elucubrazioni.

Non cerco
affatto
UNA
donna ideale.
Ne cerco
PIÙ DI UNA.

Quando si crea qualcosa, è importante pensare a diversi tipi di donne, in modo da ottenere una linea universale.

★

Voglio essere il riflesso del nostro tempo, restituire alle donne il loro aspetto. È finita l'epoca in cui dovevano cambiare guardaroba ogni sei mesi. Oggi le donne non sono mai fuori moda. Quando ne vedo una che mescola i miei vecchi capi con quelli che ho appena creato, mi piace molto. Le donne sono sempre più libere, evitiamo d'imprigionarle.

★

Per me, la donna ideale è una donna internazionale, fatta di tante donne diverse. [...] Ma riassumere tutte le donne in una sola è un'impresa difficile.

Vestire il corpo nudo di una donna senza attentare alla libertà dei suoi movimenti naturali, ecco il mio lavoro. Un tenero dialogo tra questa donna nuda e le malìe del tessuto che l'avvolge.

★

Affinché sia facile vestire una donna, questa deve avere un collo, delle spalle e delle gambe. Al resto penso io. Un capo si aggrappa e gioca con le spalle, che devono essere squadrate e spigolose.

★

Non credo che la donna moderna sia formosa.
La donna di oggi è ossuta… è tutta nervi.
La donna dell'Ottocento era formosa.
Addio alle forme! Sono roba da Renoir.

★

A trionfare, a vincere, è sempre il corpo della donna. E io scompaio dietro di lei per non tradire la verità del mio mestiere, la mia verità profonda che è l'umiltà delle mie idee di fronte alla realtà di un corpo femminile.

*Nulla
è più bello
di un
corpo nudo.*

Perché

mi fate sempre domande sulle donne?

Forse perché sono uno stilista?

Adoro le donne. Per via di mia madre, forse, o della mia educazione. Amo sedurle e preferisco la loro compagnia a quella degli uomini.

★

Per uno stilista è importantissimo circondarsi di amiche belle!

★

Mi dico che ho creato il guardaroba della donna contemporanea, che ho preso parte alla trasformazione del mio tempo. L'ho fatto con degli indumenti, che sono certamente meno importanti della musica, dell'architettura, della pittura e di tante altre arti. Ma in ogni caso l'ho fatto.

★

Alcune donne hanno trasformato radicalmente la mia visione del mondo.

★

Ringrazio le donne che hanno indossato i miei capi, quelle celebri e quelle sconosciute, che mi sono rimaste fedeli e mi hanno dato tante gioie.

★

La mia vita è una storia d'amore con le donne.

LE MODELLE SECONDO YSL

Gli abiti da donna mi hanno sempre interessato. Da piccolo giocavo con "le bambole", adoravo vestirle. Poi le facevo recitare in un vecchio teatro di burattini che credo sia finito in soffitta. Ancora oggi associo la moda al teatro. D'altronde, nella couture c'è una parte di commedia, poiché una sfilata di moda dev'essere gestita come un balletto.

Ognuna delle mie modelle rappresenta un tipo di donna ideale ai miei occhi.

Quello che
mi fa andare
avanti è la

BELLEZZA.

Non la bellezza
degli

abiti,

ma la

BELLEZZA

delle modelle
dentro quegli

abiti.

Per me un capo deve vivere,

e per metterlo
in scena
ogni giorno
mi ci vuole
un corpo di donna.

LE MODELLE SECONDO YSL

Ho bisogno di un corpo femminile davanti a me. Del suo modo di fare, della sua eleganza. Per costruire un abito, mi appoggio ai suoi movimenti, ai suoi punti cardine. È questo che ne determina la vitalità e la forza. Ho due o tre modelle con cui realizzo la collezione, e poi gli abiti vengono adattati su altre modelle che arrivano gli ultimi giorni.

Le mie modelle hanno un ruolo unico perché riflettono vari tipi di donne e i loro corpi, i loro movimenti, i loro gesti mi danno tantissimo. A volte penso a un abito semplicemente grazie a un gesto che una donna, una modella fa con la stoffa. Sapete, è un po' come nell'arena: la modella è il toro e lo stilista il matador.

Tra me e la modella, e tra la modella e il capo che indossa, c'è una complicità enorme, perché esistono capi che il corpo della modella rifiuta spontaneamente, come a dire che non gli piacciono. A volte provo a farli indossare ad altre a cui piace, ma capita anche che siano capi brutti che non convengono a nessuna.

Adoro le mie modelle. Lavoriamo insieme nella tenerezza. Tutto quello che indossano, tutto ciò che sono mi appartiene. All'inizio, quando s'inizia a lavorare a una collezione, hanno paura, ma io le rassicuro e loro si tranquillizzano e così siamo tutti felici. Con gli uomini non potrei raggiungere questa miracolosa complicità.

Difficile immaginare i rapporti personali e taciti tra uno stilista e una modella. Le modelle percepiscono quando l'immaginazione è al lavoro, sono orgogliose che il loro corpo, i loro gesti, il loro aspetto facciano nascere in me l'estro.

La scelta delle modelle
è per me fondamentale.
Stendo i tessuti sui loro corpi
e all'improvviso l'idea esplode.
Con loro parlo poco, ma le
amo davvero: sono tutte
innamorate di me.

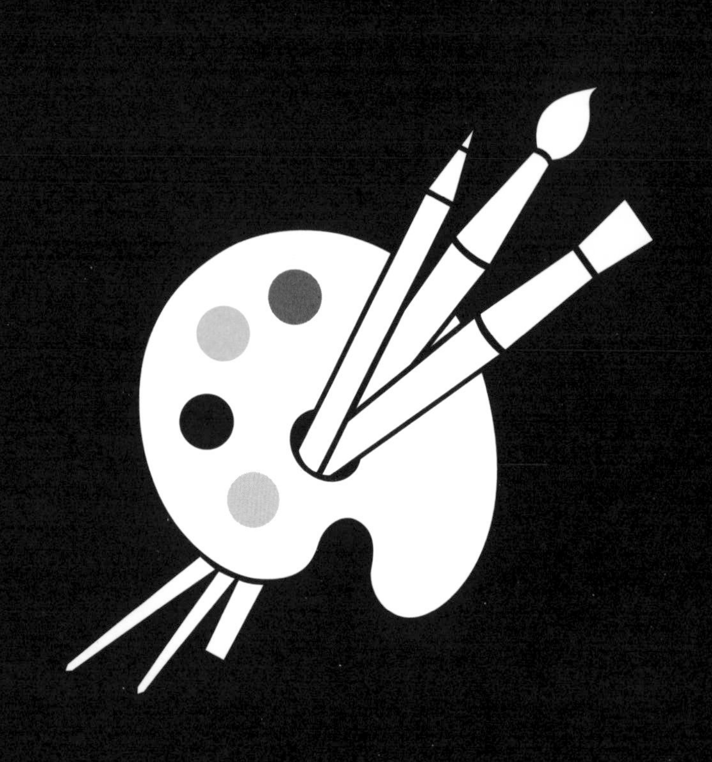

IL COLORE SECONDO YSL

Il primo abito l'ho disegnato per mia madre.
Era un abitino da cocktail in organza nera.
Già amavo quel colore.

★

Il nero è stato il segno distintivo delle mie prime collezioni. Grandi linee nere che simboleggiavano il tratto della matita sul foglio, la silhouette nella sua forma più pura.

★

Per me, il nero è un rifugio perché esprime ciò che voglio. Con questo colore, tutto diventa più semplice, lineare, teatrale.

★

Mi piace perché afferma, disegna, stilizza:
una donna in un abito nero è un tratto di matita.

★

La donna più bella è quella che indossa una gonna e un maglione neri a fianco dell'uomo che ama.

HO RESO IL NERO

L'idea di un velo nero in chiffon o in tulle
è sempre presente in me. Rappresenta il mistero…
il mistero della donna che si desidera scoprire
togliendole il velo.

★

Adoro il nero, il nero è il mio colore preferito.
Penso che un foglio bianco sia molto noioso
e che senza il nero non ci sia tratto, e quindi linea.
Per questo la mia donna è spesso vestita di nero,
perché amo il fatto che somigli a un disegno,
a un bozzetto.

★

Nero è sinonimo di linea. E la linea è la cosa
che più conta, quella che dà il portamento.

★

Con questo colore magnifico si ottiene la linea pura,
a differenza degli altri colori.

UN COLORE.

Prima mi esprimevo soprattutto
con il nero, avevo paura del colore.
Non lo sapevo usare o, meglio,
credevo di non saperlo fare.
Quando ero ancora molto giovane,
all'inizio della mia carriera,
ho scoperto il Marocco,
in particolare a Marrakech,
e da allora ho iniziato a usare il colore
nei miei lavori. Sono stati i colori
del Marocco ad aprirmi quel mondo.

Ci è voluto molto per abituarmi al colore.

★

All'improvviso, ho capito che gli abiti non dovevano più essere fatti di linee, ma di colori. Ho capito che dovevamo smettere di considerare un capo come una scultura, ma bisognava piuttosto guardarlo come qualcosa in movimento. Ho capito che la moda era rigida e che occorreva, da lì in poi, farla muovere.

★

Orano… una città scintillante dentro un patchwork di colori, sotto il sole calmo del Nord Africa.

★

A Marrakech, a ogni angolo di strada si incrociano gruppi di uomini e donne che indossano colori di un'intensità impressionante, che spiccano sui loro caftani rosa, azzurri, verdi, viola. E mi meraviglia il pensare che quei gruppi, che sembrano disegnati e dipinti come bozzetti di Delacroix, rappresentino in realtà l'improvvisazione della vita.

Dopo il nero, il mio colore preferito è il rosa.

★

Il rosa… Un colore magnifico perché evoca l'infanzia.

★

Vorrei che questo riflesso di cielo e di sole
nello specchio diventasse un abito da sera.

★

Amo l'oro, colore magico per il riflesso
di una donna, il colore del sole.

★

Amo il rosso, aggressivo e selvaggio.
E il beige, il colore del deserto.

★

L'oro lo amo perché è puro, fluido
e modella il corpo fino a farne una linea.

Il rosso
è la base del trucco,
sono le labbra,
le unghie.

Il rosso
è un colore nobile,
il colore di
una pietra preziosa
– il rubino –,
un colore pericoloso.
A volte bisogna
giocare col pericolo.

Il rosso
è la religione e il sangue,
ed è il colore dei re;
è Fedra e una
moltitudine di eroine.

Il rosso
simboleggia
il fuoco e la battaglia,
è come una lotta
tra la morte e la vita.

Matisse mi ha
influenzato molto
riguardo all'uso
del colore; agli inizi,
infatti, io credevo
solo al nero.

Per il mio lavoro, la luce è vitale,
come per un pittore.

★

In Velázquez, per esempio, gli abiti sono
come degli oceani. Di Manet, invece,
ammiro i bianchi sontuosi, sfumati.

★

Picasso è genio allo stato puro. Scoppia di vita
e sincerità. Picasso non è purezza. È barocco.
Mutevole e multiforme, ha tante frecce
al suo arco.

★

Per i colori, mi hanno ispirato Braque e Matisse.
Quando disegno una collezione e arrivano tutti
i tessuti, le sete mi vengono stese davanti...
e all'improvviso noto un colore, lo trovo
meraviglioso, così lo scelgo e ne faccio un abito.

★

Mondrian è purezza, in pittura non c'è nulla
di più puro. Questa purezza si sposa con quella
del Bauhaus. Il capolavoro del Novecento
è un Mondrian.

L'ACCESSORIO
SECONDO
YSL

Ai miei occhi gli accessori contribuiscono a dare coerenza all'abito e nel contempo a renderlo unico.

★

L'eleganza non è solo il capo, e neanche la ricchezza, ovviamente. È il gesto, il portamento, una semplicità che, a un tratto, può permettersi di essere insolente. Per esempio, una cintura di strass e lustrini su un maglione e una gonna neri, una mussola nera intorno al collo, tanti braccialetti, calze e scarpe nere sono per me l'immagine stessa dell'eleganza. Vestita così, ogni donna si sente a suo agio, e accessori e gioielli le danno un tocco di insolenza. Senza personalità, una donna è persa, la moda la spaventa e quindi non troverà il suo stile.

Non si ripeterà mai abbastanza
quanto sono importanti
gli accessori. Sono ciò
che trasforma un abito.
Mi piace che l'abito sia sobrio
e l'accessorio folle.

Amo i bottoni dorati,

li considero

i gioielli da giorno

di una donna.

L'accessorio trasforma una donna, un abito.
Amo i braccialetti – per esempio quelli africani
o i bracciali d'oro in stile cretese –, le collane
a file sovrapposte, il corallo, la giada, le cinture
di vernice nera, le calze nere, le sciarpe di mussola,
i nastri e le scarpe décolleté. Una décolleté classica
di lucertola può essere la base di tutto.
E poi, amo le perle.

★

Niente pietre preziose, niente colori, niente orpelli.
Solo oro, o piuttosto effetto dorato, perché i gioielli
mi piacciono solo quando sono falsi. Per me,
una cintura è un gioiello, non qualcosa
che stringe la vita.

★

Aggiungo gli accessori pensando a Ingres,
a Delacroix. Ho immaginato l'abito che
indossa la ragazza con l'orecchino di perla,
di cui si vede soltanto il busto nel dipinto
omonimo di Vermeer.

A invecchiare una donna non sono le rughe o i capelli bianchi, ma i gesti. E in questo gli accessori giocano un grande ruolo.

★

I miei accessori sono gesti. Una sciarpa con cui giocare, una borsa a tracolla che lascia libere le mani: non c'è niente di più brutto di una borsa tenuta sul braccio. Una cintura morbida – a catena, sempre – che dona una bella andatura, e le tasche. Importantissime. Prendete due donne vestite con un tubino in jersey. Quella con l'abito a tasche proverà subito un senso di superiorità sull'altra.

★

Amo il gesto della donna che gioca coi suoi guanti.

★

Ogni donna conferisce ai propri capi una personalità diversa a seconda degli accessori che accosta.

I GUANTI,
come i gioielli,
suscitano
LE PASSIONI.

YSL

DAI JEANS... ALLO SMOKING SECONDO YSL

I jeans non mi fanno paura. Li trovo meravigliosi.
Sono l'indumento simbolo della nostra epoca.

★

I beatnik ci hanno mostrato l'eleganza dei blue jeans.

★

L'indumento della nostra epoca sono i jeans.
Non sono stati creati da una moda divertente,
né da uno stilista per una stagione, sono qualcosa
di definitivo. Come i pantaloni, i pullover.
Io creo capi in jeans, ma non raggiungerò mai
la perfezione dell'originale.

★

Dopo i jeans, non c'è più niente da fare.
Sono il perfetto adattamento di un capo a un'epoca.
Un adattamento importantissimo.

★

Prima ero intrappolato dentro certe tradizioni.
Oggi, dando alle donne la possibilità di essere
come le ragazzine in blue jeans, offro loro
l'illusione della giovinezza. Sono riuscito
a liberarle attraverso un atteggiamento nuovo.
Attraverso un nuovo modo di mescolare le cose.

Mi piacerebbe
inventare qualcosa
che venga
dopo i jeans.

Di certo
ci sarà
dell'altro.

Non tutte le

donne

possono indossare

un paio di

pantaloni.

Allo stesso modo,

non tutte le

donne

possono indossare

qualunque tipo di

abito.

Una donna può essere seducente con un paio di pantaloni solo se li indossa con tutta la sua femminilità. Non come una George Sand. I pantaloni sono una civetteria, un'attrattiva in più, non un segno di uguaglianza, di emancipazione... La libertà e l'uguaglianza non si comprano con un paio di calzoni, sono un modo di porsi.

Quando ho introdotto i pantaloni, in America è diventato un affare di Stato.

Penso che se un giorno si vorrà raffigurare la donna degli anni Settanta la si dovrà ritrarre con i pantaloni.

Sono stato profondamente segnato da una fotografia di Marlene Dietrich in abiti maschili. Una donna dev'essere terribilmente femminile per poter indossare capi – smoking, blazer o uniformi militari – che non sono stati pensati per lei.

★

Una donna in tailleur pantalone è tutt'altro che mascolina. Il taglio implacabile e rigoroso fa emergere di più la sua femminilità, la sua seduzione, la sua ambiguità. Lei si identifica con il corpo di un adolescente, cioè afferma il grande sconvolgimento dei costumi che tende immancabilmente a uniformare i generi. Questa donna androgina, uguale all'uomo per i capi che indossa, stravolge l'immagine tradizionale di una femminilità classica e superata.

★

Dal 1966, anno in cui il primo smoking ha fatto la sua comparsa in una mia collezione, l'idea di una donna in abito da uomo ha continuato a crescere, ad approfondirsi e a imporsi come la quintessenza della donna contemporanea.

Se dovessi scegliere

un modello

tra tutti quelli che ho presentato,
direi senza alcun dubbio

lo smoking.

[...] In un certo senso, è il

"marchio di fabbrica"

di Yves Saint Laurent.

Per una donna,

LO SMOKING

è un pezzo indispensabile,
con cui si sentirà
sempre alla moda,
trattandosi di un
indumento di stile
e non di moda.
Le mode passano.
Lo stile è eterno.

La strada va più veloce dei salotti.
L'ho constatato cinque anni fa, quando
ho realizzato il mio primo smoking.
Nell'alta moda: un fiasco.
Nel prêt-à-porter: un successo.

★

Lo smoking, che ho lanciato nel 1966,
ripreso nel 1981 e da allora mai abbandonato,
è un capo eterno.

★

Il lusso mi piace solo se è ridotto al minimo.
Una ragazza in smoking nero. Un abito lungo
in jersey nero tra ricami e paillettes...
Siamo sempre troppo "vestiti".

Christian D.
Gabrielle C.
Cristóbal B.
Hubert de G.
Elsa S.

GLI ALTRI STILISTI SECONDO YSL

Lavorare insieme a Christian Dior per me è stato come un miracolo. Per lui provavo un'ammirazione infinita. [...] Mi ha insegnato le basi della mia arte. Ha avuto un ruolo fondamentale nella mia vita e, nonostante tutto quello che mi è successo da allora, non ho mai dimenticato gli anni passati al suo fianco.

★

Dior è un magnifico quadro al centro di una parete. [...] Dior è l'ornamento, lo sfarzo, è la costruzione... la costruzione barocca.

★

Mi ha insegnato i fondamentali. Poi sono arrivate altre influenze, che su questi insegnamenti si sono innestate... e lì hanno trovato un terreno meraviglioso e prolifico: i semi necessari che mi avrebbero permesso di affermarmi, fortificarmi, espandermi, respirare infine il mio universo.

Lui, che non riuscirò mai
a chiamare
Christian,
ma sempre
Monsieur Dior.

Sono lusingato che

Mademoiselle Chanel

si sia degnata di interessarsi a ciò che facevo e che ora mi indichi come suo successore, ma non sono affatto d'accordo con lei quando dice che la copio. Se la copiassi, non avrei alcun successo.

*Invece di proporre alle donne una serie di capi
che le avrebbero imprigionate dentro stereotipi
effimeri, Chanel non smetteva di cercare una
moda che durasse nel tempo, che fosse senza età.
Questa scoperta mi ha aiutato a liberarmi
da certi tic da stilista, e così mi sono staccato
sempre più dal disegno per basarmi piuttosto
sulla texture e sul corpo.*

*La grossa differenza tra me e Mademoiselle Chanel
è che io cerco di proporre alle donne uno stile
che permetta loro di adattare il proprio ai miei abiti.
[…] Una donna che veste Chanel, invece,
assomiglia a Mademoiselle Chanel.
Inoltre, c'è un'altra grossa differenza tra noi:
io amo la mia epoca, adoro i locali notturni
(anche se non li frequento granché), adoro quelli
che lei chiama "yé-yé", adoro le boutique,
adoro tutto ciò che fa il nostro tempo,
e questo influenza tutto ciò che faccio.*

*Esistono due tipi di stilisti che mi fanno orrore:
lo stilista-alchimista che, in camice bianco,
si rinchiude nel suo laboratorio e invoca Le Corbusier
prima di disegnare il minimo gingillo. Troppo grezzo.
E poi c'è lo stilista-misterioso, che non si fa mai
vedere e non vede mai niente, che sta fuori
dal suo tempo. Entrambi hanno torto.*

*Vedo tre tipi di stilisti. I grandi, quelli veri,
che sanno far provare un "colpo al cuore"
a una donna anche con un abito o un tailleur
semplicissimi. [...] Ci sono poi quelli che definisco
"sarte", cioè quelli che fanno il loro mestiere
in modo onesto. Molto noioso, molto borghese.
E infine ci sono gli "stilistacci", quelli che
si mettono continuamente in mostra, che hanno
bisogno della musica, che indossano orecchie
da Topolino, che attirano le donne con ferraglia
e pelle... insomma, cose che non capisco,
che mi sfuggono totalmente.*

non armamentari.

I grandi stilisti
sono pochissimi, gli

STILISTI
GENIALI

altrettanto…
Anzi, ancora meno.
Per essere esatto,
dirò che ce ne sono stati due,
due soltanto:

GIVENCHY
E
IO.

Il resto, gli altri,
sono la folla, l'orrore.
Precisamente
la "moda".
Il vuoto.

Karl Lagerfeld ha fatto un buon lavoro con Chanel, gli altri invece non mi piacciono.

★

Stavo sprofondando nell'eleganza tradizionale, Courrèges me ne ha tirato fuori. La sua collezione mi ha stimolato. Mi son detto: « Posso fare di meglio ».

★

Il mio intento non era misurarmi con i maestri, tutt'al più avvicinarmi a loro e imparare dal loro genio.

★

Confesso molto onestamente di non provare grande ammirazione per i miei colleghi della haute couture. Quelli che ammiravo sono morti.

Devo rendere omaggio a coloro che hanno guidato la mia azione e che mi sono serviti da riferimento. Innanzitutto, Christian Dior, che è stato il mio maestro e il primo che mi abbia fatto scoprire i segreti e i misteri della haute couture. Balenciaga, Schiaparelli. Chanel, certamente, che mi ha dato tanto e che, si sa, ha liberato le donne. Il che mi ha permesso, anni dopo, di dare loro potere e, in un certo senso, di liberare la moda.

★

Chanel ha capito la donna! Ha capito la sua epoca e ha creato la donna del suo tempo, ed è un po' in tal senso che mi aveva definito suo unico erede. Quando è morta, il mio successo è decuplicato perché il mio stile è sbocciato.

★

Balenciaga è buon gusto, audacia, è un'opera assai provocatoria, di grandissima sensualità. Dior era un uomo straordinario, con una certa audacia, ma non paragonabile a quella di un Balenciaga, che ti colpisce come uno schiaffo.

★

Ciò di cui sento più la mancanza è il non avere più giganti da combattere. Di fronte a Givenchy, Balenciaga, Chanel, io mi superavo.

Dopo quarantadue anni,
rimango solo io.
Resto presente,
fedele al mio posto.
L'ultimo stilista.
L'ultima maison.

MARCEL PROUST SECONDO YSL

Marcel Proust…
La mia vita
è immersa
nella sua opera.

Creare è doloroso, lavoro tutto l'anno nell'ansia.
Mi ripiego su me stesso, come un eremita, non esco,
è una vita dura e per questo capisco così bene Proust,
ammiro tanto ciò che ha scritto sull'infelicità
dell'atto creativo. Ricordo una frase di All'ombra
delle fanciulle in fiore*: « Nel profondo di quale*
dolore aveva trovato quell'infinito potere creativo? ».
E se ne potrebbero citare altre, magnifiche,
che toccano questa stessa sofferenza, come quelle
che ho copiato e incorniciato per metterle sulla
mia scrivania in avenue Marceau.

Era un essere divorato dalla propria opera,
un essere che soffriva nel profondo
e che ha sacrificato la vita affinché
quest'opera fosse perfetta e stupefacente.

Penso che avrei potuto essere suo amico,
ma era una persona estremamente difficile…
Forse lui non mi avrebbe voluto come amico.

YVES SAINT LAURENT RISPONDE AL QUESTIONARIO DI PROUST (1968)

Qual è il tratto principale del suo carattere?
— **La volontà.**

Il suo più grande difetto?
— **La timidezza.**

La qualità che preferisce in un uomo?
— **L'indulgenza.**

E in una donna?
— **La stessa.**

Il suo personaggio storico preferito?
— **Mademoiselle Chanel.**

I suoi eroi nella vita reale?
— **Le persone che ammiro.**

Chi avrebbe voluto essere?
— **Un beatnik.**

Qual è il suo ideale di felicità terrena?
— **Dormire con le persone che amo.**

Il massimo dell'infelicità?
— **La solitudine.**

Dove le piacerebbe vivere?
— **In riva al mare, al sole.**

Quale dono le piacerebbe avere?
— ***La forza fisica.***

Verso quale colpa è più indulgente?
— ***Il tradimento.***

Qual è il suo pittore preferito?
— ***Picasso.***

E il musicista?
— ***Bach... e i compositori d'opera dell'Ottocento.***

E quali autori, a parte Proust?
— ***Amo così tanto Proust che per me è difficile affiancarlo ad altri scrittori. E adoro anche Céline e Aragon.***

Qual è il suo colore preferito?
— ***Il nero.***

Qual è la cosa che detesta più di tutte?
— ***Lo snobismo dei soldi.***

E ha un motto?
— ***Mi concederei il seguente:*** **« Più onore che onori ».**

Di tutti gli scrittori, Proust è quello che ha parlato delle donne con maggior sensibilità e verità. E non penso tanto al Proust che ha descritto gli abiti con arte, quanto a quello che ha ritratto dei caratteri.

Amo le donne e la loro bellezza. Volevo renderle sempre più belle, più preziose. Proprio come Marcel Proust, che adoro: nessuno ha descritto le donne in modo altrettanto meraviglioso.

Amo tutta

L'OPERA DI PROUST,

ma quello che mi ha interessato in particolar modo sono le "serate da Madame Verdurin", perché in Proust amo i piccoli dettagli, un po' descrittivi, la restituzione integrale di un'atmosfera perduta. La moda, la maniera in cui le persone poggiano il gomito sul tavolo, il modo in cui prendono una tazza… il clima più della psicologia dei personaggi.

Leggo e rileggo Proust.
[...] Non mi stanca mai.
Lo apro a caso e, in un modo
o nell'altro, trovo risposta
alle mie inquietudini
e alle domande che mi faccio.

A diciott'anni ho iniziato Alla ricerca del tempo perduto. *Riprendo spesso il libro senza finirlo, ho bisogno di avere davanti quest'opera straordinaria. Per una specie di superstizione, ho la sensazione che se ne terminassi la lettura succederebbe qualcosa, e nulla di buono. La morte, forse, perché no?*

Alla ricerca del tempo perduto... *non voglio finirlo. Lo riprendo sempre a metà, oppure torno indietro. Il giorno in cui l'avrò letto tutto, avverto che qualcosa dentro di me si spezzerà. Aspetto ancora. Per scaramanzia, forse.*

YSL
SECONDO
YSL
(2)

Perseguo, sempre, e perfino inconsciamente, la mia opera, e so bene che devo chiudermi nella concentrazione e nel silenzio. So altrettanto bene che non esiste leggenda senza opera e, come ho detto quand'ero ancora molto giovane, voglio diventare una leggenda.

★

Da Dior mi chiamavano "il Delfino". La stampa mi ha ribattezzato "il Piccolo Principe". Mio padre mi chiamava "mio re". Oggi mi considerano un mito. A volte, queste corone sono pesanti da portare.

★

Il successo non si ruba. Tutt'al più lo si può meritare, oppure deludere i propri ammiratori.

★

Mi amo un po' per piacere molto.
Piacere è importantissimo.
D'altro canto, a chi non piace?

★

Dentro di me ho tanto amore
e ne ricevo altrettanto.

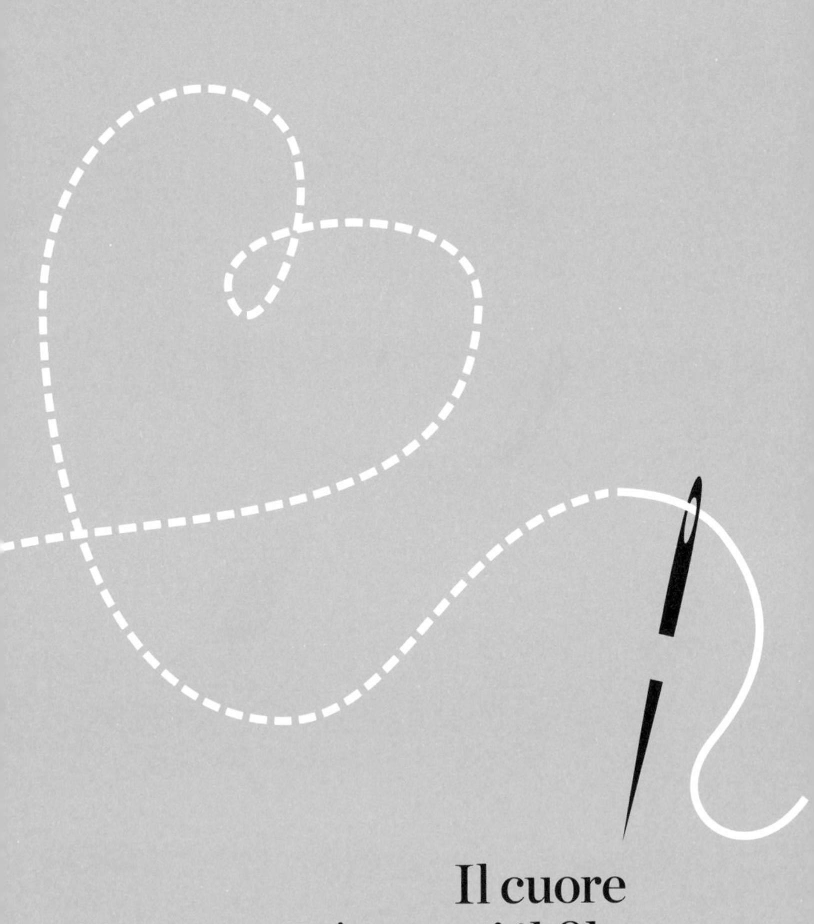

Il cuore
è un po' il filo
conduttore di
tutta la mia vita.

Mi piacerebbe
che tra cent'anni
si studiassero
i miei abiti,
i miei disegni.

Non ho la consapevolezza di essere un mito
e mi stupisco ancora quando la gente
mi riconosce per strada.

★

Per fortuna, sono sfuggito a una disperazione distruttiva: quella di non essere riconosciuto.

★

La cosa straordinaria è che i giovani mi amano molto, sono molto popolare tra loro, anche tra i giovanissimi, e credo sia perché in me è sempre viva una parte di infanzia e di adolescenza.

Non sono molto bravo a disegnare, non ho grande espressività. Mi sarebbe piaciuto fare il pittore… ma in fondo sono talmente tante le cose che mi sarebbe piaciuto fare!

★

Mi sarebbe piaciuto essere scrittore. C'è stato un momento in cui ho scritto molto. E poi ho smesso, perché era impossibile portare avanti questo mestiere spaventoso, che mi paralizza tutto l'anno e anche la scrittura. Gli abiti riempiono la mia mente.

★

Ero indeciso tra il teatro e la moda. Fu l'incontro con Christian Dior a farmi decidere per la seconda.

★

Il destino mi ha viziato. Ho fatto esattamente quello che volevo.

Se non avessi
fatto lo stilista,
mi sarei
di certo
dedicato
al teatro.

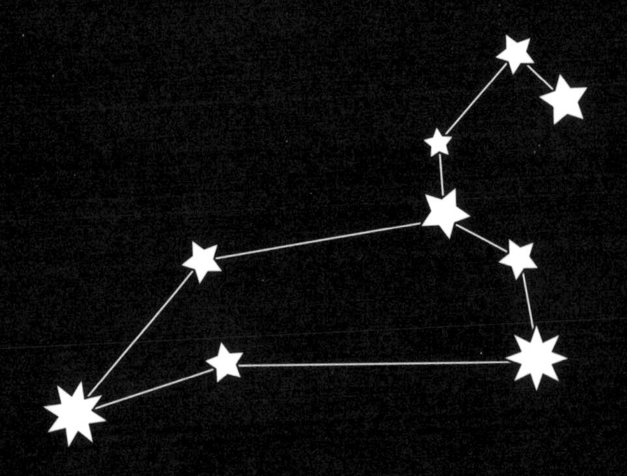

Il futuro?

Non ci penso mai.
So che c'è.
Mi aspetta
da qualche parte,
gli vado incontro.
Nulla di più.

Rimpianti? No, nessuno… Tranne quello del tempo che passa, delle cose che non torneranno mai più.

★

Mi ci sono voluti quarant'anni per trovarmi, e mi capita di continuare a cercare.

★

Nel corso di questi anni ho attraversato innumerevoli crisi depressive, ma sono sempre riuscito a superarle. Dentro di me c'è una forza, una volontà feroce che mi spinge verso la speranza e la luce. Sono un lottatore e un vincente.

★

Quando guardo indietro, rivedo la mia gioventù, le mie uscite, le serate folli. E sorrido.

★

Non ho paura della morte. So che può arrivare da un momento all'altro, ma, cosa strana e probabilmente egoista, non credo che mi sconvolgerebbe la vita.

Ho attraversato molte angosce, molti inferni.
Ho conosciuto la paura e una terribile solitudine.
I finti amici che sono i tranquillanti e gli stupefacenti.
La prigione della depressione e quella delle case
di cura. Da tutto questo un giorno sono uscito,
abbagliato ma sobrio.

★

Marcel Proust mi ha insegnato che « la magnifica
e lamentevole famiglia dei nervosi è il sale della terra ».
Senza saperlo, ho fatto parte di questa famiglia.
È la mia. Non ho scelto questa stirpe fatale,
ma è grazie a lei che mi sono elevato nel cielo
della creazione, che ho avuto a che fare con i ladri
di fuoco di cui parla Rimbaud, che mi sono trovato,
che ho capito quanto l'incontro più importante
della vita è quello con noi stessi. I paradisi più belli
sono quelli che abbiamo perduto.

Non vi dimenticherò mai.

Yves Saint Laurent

Discorso di addio del 7 gennaio 2002

FONTI

STAMPA

Air France Madame, Arts, Candide, Dépêche Mode, Dutch, Elle, L'Express, Le Figaro, Focus, Gala, Glamour, Globe, L'Insensé, Interview, The Japan Times, Jardin des Modes, Life Magazine, Madame Figaro, Marie Claire, Men's Wear, Le Monde, New York Magazine, Le Nouvel Observateur, The Observer, Paris Match, Le Point, Point de Vue, Saga, Tatler, Témoignage Chrétien, Vogue US, Vogue France, Women's Wear Daily, 20 ans.

★

LIBRI

Histoire de la Photographie de mode (Nancy Hall-Duncan, Éditions du Chêne, 1978) • *Yves Saint Laurent et le Théâtre* (Éditions Herscher – Musées des arts décoratifs, 1982) • *YSL par YSL* (Éditions Herscher – Musée des arts de la mode, 1986) • *Histoire technique et morale du vêtement* (Maguelonne Toussaint-Samat, Bordas, 1990) • *Yves Saint Laurent* (Laurence Benaïm, Grasset, 2002–18) • *Yves Saint Laurent, 5 avenue Marceau 75116 Paris* (David Teboul, Éditions de La Martinière, 2002) • Catalogo della mostra *Yves Saint Laurent, Dialogue avec l'art* (Fondation Pierre Bergé – Yves Saint Laurent, 2004) • *Yves Saint Laurent Style* (Éditions de La Martinière, 2008) • Catalogo della mostra *Yves Saint Laurent* al Petit Palais (Florence Müller, Farid Chenoune, Fondation Pierre Bergé – Yves Saint Laurent, Éditions de La Martinière, 2010) • Catalogo della mostra *L'Asie rêvée d'Yves Saint Laurent* (Musée Yves Saint Laurent Paris, Gallimard, 2018).

★

TELEVISIONE

Trasmissione DIM DAM DOM, telegiornali ORTF,
Fuji TV, archivi INA.

★

DOCUMENTARI

Yves Saint Laurent, le temps retrouvé
e *5, avenue Marceau, 75116 Paris* di David Teboul.

DISCORSO DI ADDIO di Yves Saint Laurent,
7 gennaio 2002.

ARCHIVI del Musée Yves Saint Laurent Paris.

SUGLI AUTORI

Scrittore, editore e giornalista, Patrick Mauriès
ha pubblicato numerose opere, racconti e saggi sull'arte,
la moda, la letteratura e le arti decorative. Ha messo in luce
creatori come Piero Fornasetti, René Gruau e Line Vautrin,
e dedicato libri a personaggi diversi tra loro quali
Jean-Paul Goude, Christian Lacroix e Karl Lagerfeld.

Jean-Christophe Napias, autore ed editore,
ha scritto numerosi libri su Parigi. Nel 2009 ha fondato
la casa editrice L'éditeur singulier.

Insieme, Patrick Mauriès e Jean-Christophe Napias
hanno già pubblicato *Il mondo secondo Karl*, *Il mondo secondo Coco* e *Il mondo secondo Christian Dior.*